KB195706

당신의 마음은
당신의 말을 닮아 간다

필사집에 수록된 글의 구성은 다음과 같습니다.

1. 최대호 작가의 출간된 에세이집에서 작가가 특히 아끼는 문장을 발췌해서 엮었으며 마지막 페이지에 출처를 밝혔습니다.

2. 최대호 작가의 마음에 힘이 되어 준 글들을 골라서 실었으며, 해당 글이 수록된 페이지 하단에 출처를 밝혔습니다.

3. 최대호 작가가 새롭게 쓴 미공개 글 15편을 실었습니다.

당신의 마음은
당신의 말을 닮아 간다

단단한 마음을 만드는 긍정의 말들

최대호
필사집

테라코타

왼쪽 페이지에 있는 글을 오른쪽 페이지에 마련된 여백에
직접 따라 써 보거나 떠오르는 생각이나 다짐 등을
써 보셔도 좋습니다.

좋은 마음을 먹는 것보다 좋을 말을 하는 것이 훨씬 쉽습니다. 마음은 억지로 안 되지만 말은 어느 정도 가능하거든요. 억지로 흥얼거린 콧노래에도 기분이 조금은 좋아지는 것처럼, 정말 신기하게도 좋은 말을 하다 보면 기분이 꽤 괜찮아지는 경험을 할 수 있습니다. 하루의 시작 그리고 하루의 끝에서 이 필사집을 한 글자 한 글자 따라 쓰다 보면 당신의 마음은 여기에 쓰여진 수많은 말을 닮아 가고, 위로와 행복을 선물 받는 시간이 될 것입니다.

당신을 향한 수많은 좋은 말이 주변에서 맴돌다 사라지는 게 아니라, 당신의 마음속 깊은 곳에 닿았으면 좋겠습니다.

3
온 마음을 다해 행복해지고 싶은 순간

4
하루하루 애쓰며 살아가는 순간

5
나를 지켜 주는 또 다른 내가 필요한 순간

1
◇◇◇
잘하고 싶고,
잘되고 싶은 순간

그때의 나에게 꼭 필요했던 말,
"잘하고 있어."

좋은 나

좋은 일
좋은 사람
좋은 삶을 만나려면
간단한 준비물이 있다.

좋은 나.

잘했고 잘하고 있다

잘했다는 말을
나 자신에게 많이 해 주세요.

진짜 잘했을 때도 말할 수 있고
조금 못했을 때도 할 수 있겠죠.

정말 잘했을 때는
최고의 칭찬이 되고

조금 못했을 때는
앞으로 잘 해낼 힘을 주니까요.

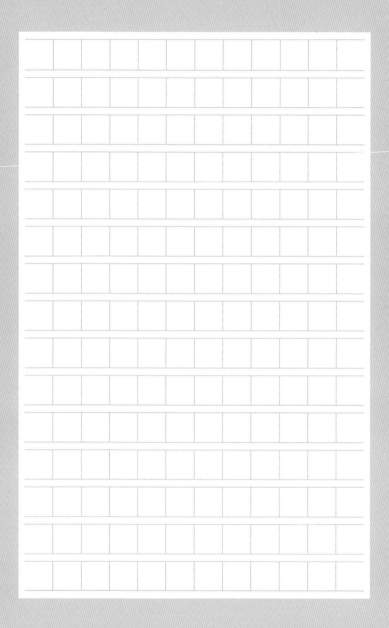

당신을 위한 시간

무언가를 위해서 시간을 쓰고 있다면
그 시간이 고통스럽지 않았으면 합니다.

내 몸과 마음이 다치면서까지 해야 할 일은 없지만
미래에 행복해질 내가 상상이 될 정도로
꼭 해야만 하는 일이라면,
꼭 존재해야만 하는 과정이라면
조금의 즐거움은 있었으면 합니다.

잘하고 있어요.
힘든 시기를 보내고 있는 게 아니라
당신을 위한 시간을 보내고 있는 겁니다.

무너지지 않으면 괜찮다

실수해도 괜찮다.
조금 돌아가도 나쁘지 않다.

당신이 무너지지만 않는다면
기회는 계속해서 온다.
그때 더 잘하면 된다.
정말 괜찮다.

오늘 나의 마음 가짐

실수해도 괜찮다.

기회는 계속해서 온다.

그때 더 잘하면 된다.

당신을 위한 응원

내가 당신을 만나면
당신은 생각하는 것보다 강하다고
지금의 어려움을 이겨 낼 수 있다고
다 잘될 거라고
모든 응원을 전해 줄 거예요.

수백 번 힘들지만 한 번 더

살면서 힘든 순간이
수백 번 온다 해도
그 수백 번에 딱 한 번 더
힘내서 살아 볼래.

뭐든 할 수 있는 사람

지금까지 이룬 게 없다는
생각이 들어도 슬퍼하지 말아요.

당신은
아무것도 한 게 없는 사람이 아니라
앞으로 뭐든 할 수 있는 사람이니까요.

네 옆에 있을게

혼자 있어도 너는 혼자가 아니다.
갑자기 너의 삶에 나쁜 일이 생기거나
아직은 만나지 않아도 되는
고통이 다가왔을 때,
오랫동안 네 옆에 있을게.

사람들에게 치여 다친 마음 쉬어 가기를,
스스로 네 마음 다독여
다시 힘내서 일어서기를
응원할게.

마음가짐

기쁠 때 만족하는 마음을 갖되
너무 들뜨지 말 것.

안 좋을 때 반성은 해야겠지만
우울함이 너무 깊어지게 하지 말 것.

이런 마음가짐으로
하루하루를 살아 낼 것.

오늘 나의 마음가짐
기쁠 때 들뜨지 말고, 안 좋을 때 깊은 우울감에 빠지지 말 것.

인생을 다시 산다면

좋다고 반복할 수도
싫다고 환불할 수도 없는
한 번뿐인 내 인생.

다시 살아도 내 삶을 고를 만큼
행복하게 사는 수밖에 없다.

밤하늘의 별처럼 빛나는 사람

하루하루 살아가는
당신의 모습이
어쩌면 보잘것없어 보인데도
결국 원하는 곳에 도착할 사람,
밤하늘의 별처럼
환한 빛을 낼 사람이라는 것은
결코 변함이 없는 사실이다.

예쁨 받는 하루

내일은
어딜 가든 예쁨 받고
누구에게나 칭찬받고
뭘 먹어도 맛있는
그런 하루가 될 거예요.

내일은 예쁨 받는
하루가 될 거예요.

새로운 시작

하고 싶었던 일도, 목표했던 꿈도
지금 우리의 일상에서도 우리는 언제나
포기하는 선택과 필연적으로 마주한다.

포기한다고 끝나는 건 아니야.
오히려 새로운 시작이지.

햇살과 웃음

오늘, 인생이라는
당신의 컵을
햇살과 웃음으로
채우세요.

● R. J. 팔라시오, 『원더 365』에 수록된 도딘스키의 글

오늘, 햇살과 웃음으로
가득한 하루 보내기

그냥 당신이기 때문에

당신은 그냥 당신이기 때문에
특별한 거예요.
때로는 실수도 하고
가끔은 외롭기도 하고
조금은 부족한 면도 있지만
당신이 소중한 건 변함없어요.

나는 대단한 사람이다

세상일 어느 것 하나 도통 쉬운 게 없어요.
하지만 당신은 겨우겨우이든
꾸역꾸역이든 항상 해내고 있어요.

당신은 제일 먼저 당신을 인정해 줘야 해요.
스스로 대단하다고 느껴야 한다고요.

고민과 노력의 걸음걸음

늦는다고 틀린 건 아니야.
빠르다고 꼭 잘한 건 아니야.

너의 노력과 고민이 들어간
걸음걸음은 행복한 곳으로
널 데려다줄 거야.

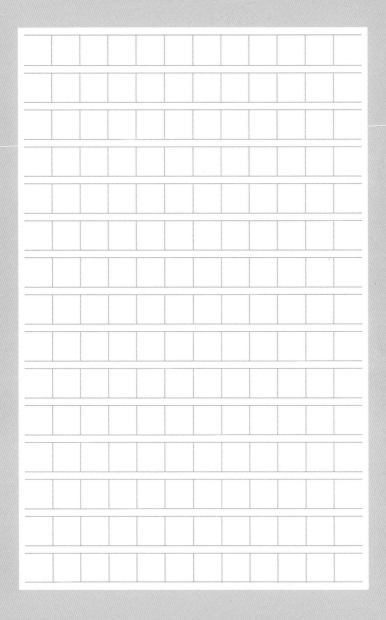

이미 그 길에 올라서 있다

사람들은 빈번히 생각한다.
"언젠가 나의 길이 시작될 거야."
그런데 지금 이 순간 무슨 일이 일어나고 있는
그것이 그 길이다.
당신은 이미 그 길에 올라서 있다.

● 메리앤 윌리엄슨Marianne Williamson

무조건 해피엔딩

남에게 인정받기 위해
살아가지 않으면 더 좋고
남과 비교하지 않고
살아가면 더욱더 좋다.
당신은 주인공이라서
뭐든지 할 수 있다.
그리고 무조건 해피엔딩이다.

오늘은 내가 주인공이다.
뭐든지 할 수 있다.
오늘 하루는 무조건 해피엔딩!

지금 모습 그대로

내 모습으로 사랑받아라.
사랑받는 사람들의 모습을
닮아 가려고 노력하지 말고

너의 지금 모습 그대로
사랑받아야 그게 진짜니까.

2

◇◇◇

아무렇지 않은 척했지만,
한없이 힘들었던 순간

당신의 힘든 마음을 감싸 안아 준다는 말은
당신과 나의 마음이 달라도
당신의 마음을 내가 알아준다는 것.

내 마음을 알아주는 사람

내가 힘들 때
대단하고 멋진 조언을
해 주는 사람보다 더 필요한 건

내가 지나온 시간을
똑같이 지나온 사람.

그렇기에 "나도 그랬어"라며
내 마음을 알아줄 수 있는 사람.

완벽한 건 없다

실수도 하고
후회도 하고
감정소비도 하고
별거 아닌 것에
하루 종일 웃기도 하고
그렇게 사는 거야.

매번 완벽한 건 없어.
그걸 인정하고
불완전한 삶을 즐겨야 해.

못하는 걸 해 보는 용기

못하는 건 못한다고 하세요.
이 말을 하는 데
용기는 필요 없습니다.

못하는 걸 해 본다 할 때
용기가 필요한 것이지.

세상에 나쁜 날씨는 없다

햇빛은 포근하고, 비는 상쾌하고
바람은 시원하며, 눈은 기분을 들뜨게 만든다.
세상에 나쁜 날씨란 없다.
서로 다른 좋은 날씨만 있을 뿐.

• 존 러스킨John Ruskin

인정하면 편하다

포기하면 편한 게 아니라
인정하면 편하다.

내 힘으로 해결할 수 없거나,
노력을 쏟아 봤지만
내 뜻대로 되지 않는다면
인정하는 것만이 현명한 선택이 된다.

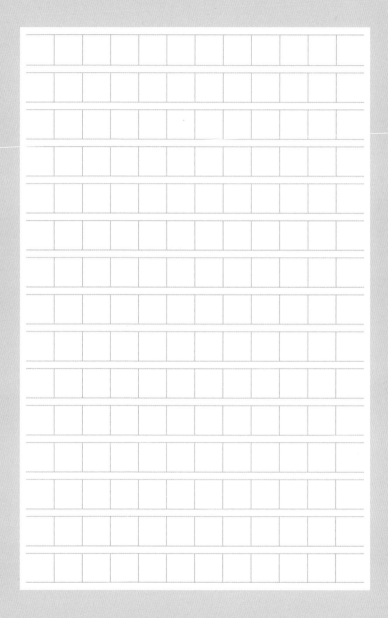

내가 예민한 게 아니다

무례하게 말하고
배려 없이 행동했으면서
내가 예민한 사람인 것처럼
몰아가지 않았으면.

좋아하고 싫어하는 게 같다면

좋아하는 게 같으면
반가운데
싫어하는 게 같으면
감사하더라.

단단한 사람

"곧 마음이 가벼워질 거야.
내가 절반
짊어졌으니까."

이렇게 좋은 말을 해 주는 사람과
좋은 관계로 지내는 사람은
분명 단단한 사람이 된다.

나쁜 일은 더 좋은 일로 바꾸면 된다

우리의 인생에는
약간의 좋은 일과
수많은 나쁜 일이 생긴다.
좋은 것은 그대로 두어라.
나쁜 것은 바꿔라, 더 좋은 것으로.
이를테면 글과 시 같은 것으로.

● 호르헤 루이스 보르헤스Jorge Luis Borges

내가 나를 아껴 준다면

당신은 소중해요.
가장 먼저 나 자신을
소중하게 대해 주고 칭찬해 주면
다른 사람도 그렇게 생각해 줄 거예요.

그런데 사실 다른 사람은
그렇게 중요하지 않아요.

내가 나를 아껴 주기만 한다면
내가 나를 사랑할 줄 안다면.

오늘 나의 마음가짐

나를 더 많이 아껴 주고 나를 더 많이 사랑해 주자.

종이에 적어 두기

만일 누군가로부터
불친절한 말을 들었다면
그것을 종이에 적어 두세요.

한동안은 그렇게 하세요.
그런 다음 그 종이를 가지고 나가
가만히 태워 버리세요.

● 존 켄드릭 뱅스John Kendrick Bangs, 「종이에 적어 두세요」

내 편이 돼 주는 사람

뭘 해도 내 편이 돼 주는
사람이 있다는 것은
정말 큰 선물이에요.

힘든 일이 있었을 때
잘잘못을 따지기보다
괜찮다고 말해 주는 사람,

감정 조절이 잘 안 될 때
똑같이 맞받아치기보다
내 기분을 먼저 헤아려 주는 사람이 있어서
힘들어도 견딜 수 있나 봐요.

중요하지 않은 날은 없었어

중요하지 않은 날 하루를 골라 봐.

어렵고 힘든 날은 있어도
중요하지 않은 날은 고르기 어려울 거야.

너에게 주어진 모든 날이 그래,
중요하지 않은 날은 없었어.

앞으로 올 날들은
지나간 날보다 예쁘기를….

● 손턴 니벤 와일더Thornton Niven Wilder

당신의 삶이니 괜찮다

당신의 선택이
누가 봐도 틀렸을 수도 있어요.
스스로 이건 아닌 것 같다는
생각이 들 수도 있어요.
그래도 괜찮아요.
당신 삶이에요.
후회도 남고 배움도 얻으며
그렇게 그렇게
더 좋은 사람이 되는 거예요.

PLACE YOUR BEAUTIFUL DESIGN

나에 대한 자신감

나에 대한
자신감을 잃으면
온 세상이
나의 적이 된다.

● 랄프 왈도 에머슨 Ralph Waldo Emerson

반드시 해야 하는 일

반드시 해야 하는 일부터 하라.
그런 다음 할 수 있는 것을 하라.
그러면 불가능하다고 생각했던 것을
해내고 있는 자신을
발견하게 된다.

● 아시시의 성 프란체스코Saint Francis of Assisi

내 앞에 주어진 행복에만 집중할 때

좋아하는 것을 할 때는
현재 자신이 가진 고민과
다 놓아 버리고 싶은 생각이 들게 하는 것들을
떠올리지 않도록 노력하는 것이 중요해요.

어쩔 수 없이 떠오르겠지만
그 생각들을 꾹꾹 누르고
지금 자신 앞에 주어진 행복에만
집중해야 제대로 쉴 수 있으니까요.

좋은 포기

포기할지 말지 자주 고민해도 됩니다.
건강한 생각입니다.
포기를 해야 할 때가 오면
대신 '좋은 포기'를 해야지요.
포기하는 건 도망치는 게 아니에요.
나를 더 행복하게 만드는
도전을 하는 겁니다.

나를 더 행복하게 만든다면
'포기'도 새로운 도전이다.

당신의 속도

처음부터, 천천히, 조금씩
당신의 속도로
나아가면 됩니다.
급한 마음이 없어야
좋은 게 더 많이 쌓입니다.

오늘 나의 마음가짐
천천히, 조금씩
나만의 속도와 방향으로
나아가면 된다.

더 나은 모습

고통은 그 어떤 가르침보다 강했고
마음을 이해하는 법을 가르쳐 주었다.
나는 구부러지고 부서졌지만
더 나은 모습으로 바뀌기를 바랐다.

● 찰스 디킨스 Charles John Huffam Dickens

3

온 마음을 다해
행복해지고 싶은 순간

행복한 일은 매일 있다.
우리는 단지 그걸
알아차리기만 하면 된다.

좋은 사람과 낭비한 시간

좋은 사람들과
낭비한 시간이
바로 행복이에요.

당신을 위한 말

지나가는 바람에 흔들리지 말 것.
비춰 주는 햇볕에 마음껏 행복할 것.

불행이 비켜 가면 좋겠다.
불안은 잊었으면 좋겠다.
걱정은 하나도 일어나지 않고
행복만 가득했으면 좋겠다.
이 모든 게 당신을 위한 말이다.

쉬운 행복

쉬운 행복부터 느껴 보자.
작지만 충분한 행복을 찾아보자.
노력하지 않아도 내 옆으로
조용히 다가온 그런 행복 말이야.

애쓰지 않아도 내 곁에 와 있는
쉬운 행복부터 느껴 보자.

소소한 기쁨

큰 욕조를 가득 채워야만
행복이라고 생각하지 마세요.
소소한 기쁨도
행복이라고 여겨 주세요.

행복 그릇의 크기를
줄이는 연습을 해 보세요.
한입에 쏙 들어갈 마카롱이
하나 담길 정도면
딱 좋지 않을까요?

삶의 순간순간을 소중히

과거는 지나간 시간이고
미래는 아무도 몰라.

우린 오직 지금을 살아가.
그러니 눈에 보이는 행복을 잡아.
그렇게 순간순간을 소중히 여긴다면
행복은 더 이상 어려운 일이 아니야.

오늘 하루는 내가 주인이다

타인은 절대로
당신의 하루를 망칠 수 없어요.

남이 아니라 당신에게
주어진 하루이기에
오늘의 주인은 당신뿐입니다.

누군가 비집고 들어오려고 한다면
이렇게 생각하세요.

오늘 이 하루는
주인인 내가 원하는 대로만 간다고.
그 목적지는 바로 행복이라고.

그냥 그런 행복

장난만 치던 친구의
따뜻한 말 한마디
내 이야기 같은
짧은 글 한 편,
별 탈 없이
괜찮게 마친 하루,
행복은
그냥 그런 거더라고.

이기적인 행복

오늘 힘들었으니
내일은 행복했으면

오늘 행복했으니
내일도 행복했으면

이렇게
행복 앞에선 얼마든지
이기적이어도 좋습니다.

온전히 나만 생각하는 시간

피곤, 지침, 짜증, 걱정… 그런 것들
회사에 다 두고 왔으면 해.

집에 올 때는 온전히 너만 왔으면 좋겠어.
잠들기 전 주어지는 소중한 시간을
안 좋은 생각들이 뒤덮는 게 마음 아프다.

너의 행복이
알맞은 시기에
알맞은 주소로
찾아가길 바랄게.

내 안에 있었네

모두 행복을 찾는다고
온 세상 헤매고 있지.
아, 바로 내 안에
내가 찾던 것 있었네.
행복이란
참다운 나를
사랑하는 이와 나눌 줄 아는 것.

● 수잔 폴리스 슈츠Susan Polis Schutz , 「내 안에 내가 찾던 것 있었네」

그냥 느끼면 된다

행복을 오랫동안
유지하는 비결은
오직 한 가지뿐입니다.

그 방법은 매우 간단합니다.
지금 이대로
행복을 느끼면 됩니다.

불안해하지 말고,
다른 걱정하지 말고
주어진 행복을 그대로 온전히.

● 로버트 헨리Robert Henri, 「웃는 아이」

124

마지막 퍼즐

당신은
마지막 퍼즐을 제외하고
행복할 수 있는 모든 조건을
가지고 있다.
그 마지막 퍼즐은
'행복하자'라고
스스로 마음먹는 것.

확실한 행복

괜찮지 않은 당신의 일상에서
무책임한 위로에 지지 말라고
나는 나답게 살아야 한다고
많은 말들을 건네었지만
사실 당신이 당신답게 행복해지길 바란다.
다른 이들이 말하는 일반적인 행복이 아닌
당신에게 확실한 행복을 만났으면 좋겠다.

답장

마음 맞는 내 사람에게
여기 괜찮지 않냐고
시간 맞으면 가 볼까 하고 연락하면

'우와 예쁘다 가자 가자'라는
답장이 오는 것, 참 행복이다.

아무것도 하지 않아도 웃을 수 있는

별것 아닌 일도 행복하다고 생각해 보자.
이런 마음가짐이 습관이 되고,
그 습관은 평소 알아봐 주지 못했던
일상의 행복들을 찾게 해 준다.
그리고 결국엔 당신이 준비하고 기대했던 꽤 큰 행복들,
아무것도 하지 않아도 몇 날 며칠을 웃을 수 있게 만드는
인생의 몇 안 되는 행복을 만나게 될 날도 곧 올 거고.

사소한 일도 행복하다고 생각하면
평소 알아채지 못했던 일상에서 행복을 발견하게 된다.

행복할 순간

'오늘'은 '미래'를 위해서
참고 견디며 지나가는 시간이 아닌
지금 자체로 행복할 순간입니다.

어제보다 조금 더

지금은 조금 힘들고, 걱정될 것이다.
하지만 내일은 어제보다 조금 더
행복해지길 바란다.
다른 이들이 당신을
행복한 사람이라 여기는 것이 아니라
스스로 조금 더
행복하다고 느끼기를.

당신만의 정답

행복에 정답은 없다.
하지만 무심코 넘긴 순간들에서
당신만의 정답을 찾을 수 있다.

조건이 붙지 않는 행복

행복한 삶을 살기 위해서는
조건 없는 행복들이 많아야 한다.
지난 기억을 천천히 되짚어 보자.
내가 어떨 때 조건 없이 행복했는지,
과연 어떤 것이 나를 행복하게 만드는지
조금씩 찾아보는 것도 좋다.
나도 당신도 조건 없이 행복한 날이 많기를 빈다.
조건이 붙는 것들은
당신을 오랫동안 행복하게 만들 수는 없으니까.

내가 사랑하는 나의 모든 것

제가 여행 갈 때마다 쓰는 작은 캐리어가 있어요.
자주 쓰는데 심지어 흰색입니다.
관리한다고 하는데 여행을 다녀오면 흠집도 나고
찍힌 자국도 있고 군데군데 더러워져 있어요.
근데 전 이게 밉지 않아요.
행복한 추억을 만들고 왔기에 생긴 거니까요.

바다에 가면 신발이 젖기도 하고
예쁜 길을 걷다 보면 땀이 나기도 하지요.
살아가는 것도 같아요.
열심히 살다 보면 원하지 않는 작은 자국들이 남기도 해요.

행복을 만나려고 노력한 증거라고
당신은 그것의 의미와 과정을 알잖아요.
그런 걸 모르는 사람이 보기에
예쁘지 않더라도 그건 상관없습니다.
누가 뭐래도 나는 나의 모든 것을 사랑해야 해요.

4

하루하루 애쓰며
살아가는 순간

왜 그래야만 하는지를 알고 있다면
당신은 어떤 일이든 견딜 수 있다.

살면서 가장 쓸데없는 일

당신을 괴롭게 만드는 건
부족한 능력도 아니고
너무 높은 목표도 아니다.

살면서 가장 쓸데없는
남과의 비교 때문이다.

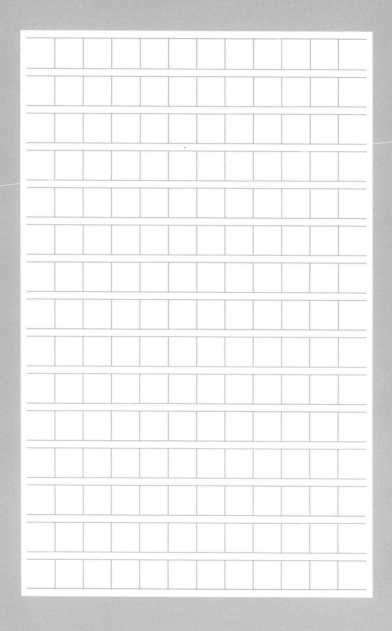

마음이 먼저 움직인다면

마음이 먼저 움직여야 한다.
그래야 자신을 움직일 수 있지 않겠는가.
생각한 대로 산다는 건, 나다움을 지키기 위해
최소한의 고민을 했다는 증거이기도 하다.
당신에게 나답게 생각하라는 말을 건네고 싶다.
다른 사람들의 생각에 휩쓸려서,
내가 처한 환경에 얽매여 나답게 생각하는 걸
포기하지 말라고 당신에게 전하고 싶다.

나를 가장 먼저 챙기는 일

그동안 다른 사람 생각하고 배려하느라
내 마음이 너무 힘들었는데
이제는 그렇게 하지 않으려고요.
내가 나를 제일 많이 챙기려고요.

오늘 나의 마음가짐
다른 사람을 배려하는 일보다
나를 더 많이 챙기자.
오늘은 내 인생이 우선이다.

보이지 않는 곳에서 애쓰고 있는

꼭 남들이 알아줄 만큼 화려한 것만이
빛나는 것이 아니다.
부족한 것을 걷어 내고
할 수 있었던 것이 잘하는 것이 될 때,
세상에는 없던 당신의 색으로 빛이 나는 것이다.

보이지 않는 곳에서 애쓰고 있는 우리들에게 위로를 보낸다.
보이지 않는 곳에서 애쓰고 있는 우리들에게 마음을 보낸다.

이 또한 지나가리라

큰 슬픔이 거센 강물처럼 네 삶에 밀려와
마음의 평화를 산산조각 내고
가장 소중한 것들을 네 눈에서 영원히 앗아갈 때면
네 가슴에 대고 말하라.
'이 또한 지나가리라.'

● 랜터 윌슨 스미스Lanta Wilson Smith, 「이 또한 지나가리라」

당신이 필요해요

완벽하게 해야만 하는 건 아니다.
얼굴 내밀고 이렇게 말하면서 살아도 된다.

"네, 이건 어렵네요. 도움이 필요해요.
대단한 힘이 필요하네요.
바로 당신이 필요해요."

● 글레넌 도일Glennon Doyle

세 가지 답

내가 무언가를 원할 때
신은 세 가지 답 중 하나를 주신다.
하나는 "예스"
다른 하나는 "예스, 그런데 당장은 아니야"
또 다른 하나는 "안돼, 왜냐하면 내가 너를 위해
더 나은 걸 준비하고 있기 때문이야."

● 케리 워싱턴Kerry Washington

절망하지 마라

절망하지 마라.
비록 당신의 상황이
절망할 수밖에 없다고 해도
절망하지 마라.
이미 일이 끝장난 것 같아도
결국은 또다시 새로운 힘이 생겨난다.

● 프란츠 카프카Franz Kafka

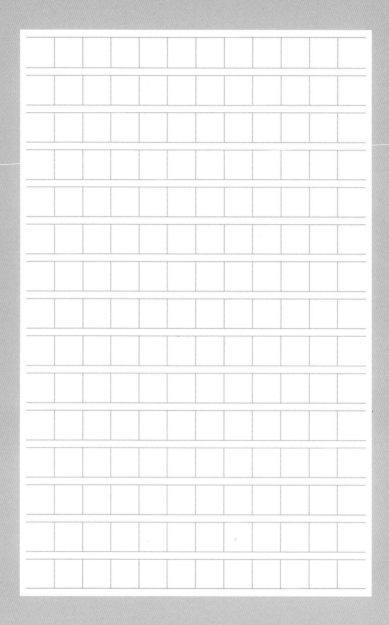

마음의 안부를 묻는 일

"오늘도 평범하게 잘 지냈나요?"라고
나 자신에게 물어보세요.
쉼이 필요하다고 느끼면 잠시 멈춰 서기도 하며
당신의 마음은 어떤지 헤아리기도 하면서
당신이 행복해지는 것들을 아낌없이 누리세요.
당신보다 소중한 건 없으니깐요.

하고 싶은 거 다 해

타인의 시선을 너무 두려워하지 말자.
남의 시선이나 평판이 두려워서
무언가를 포기할 만큼의 나에게
관심을 가지는 사람은 없다.
눈치 볼 거 하나 없고 주눅 들 거 없다는 말이다.
이제부터 하고 싶은 거 다 하며
중요한 걸 잃지 말고 살자.

남의 시선을 두려워하지 말고
하고 싶은 거 다 하며
중요한 걸 놓치지 말자.

나에게 여유를 주는 일

쉰다는 건 지친 나를 텅 비워 내는 게 아니라
나에게 여유를 주는 거다.

충분히 지치지 않았을 때 쉰다.
쉬는 것에 죄책감 느낄 필요 없다.

지쳐서 아무것도 못 할 만큼 자신을 다 쓰고 나서
쉬는 것에 나는 더 죄책감을 느낀다.
소중한 나를 함부로 대하는 것이니까.

속이지 말자

나를 속이지 말자.
내 마음을 속이지 말자.
내 기분을 속이지 말자.
내 하루를 속이지 말자.
내가 나를 속이지 말자.

좋은 일이 생긴다면

바쁘게 살면
잡생각이 안 들고

열심히 살면
불안이 사라지고

웃으면서 살면
좋은 일이 생긴다.

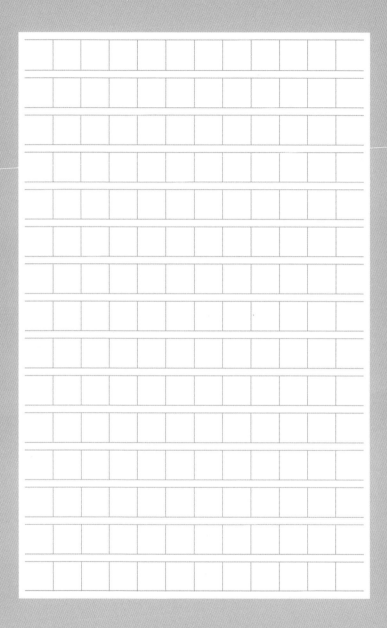

빠지면 안 되는 것

중요한 선택이든
일상적인 선택이든
'네 마음'이 빠져서는 안 돼요.
당신 삶은 당신 거예요.

평소 나답지 않은 행동

김미경 님의 영상을 보다가 너무 좋은 말이 있었다.
'살다가 겁나거나 무서우면 일찍 일어나라'라는 말이었다.
김미경 님이 힘들어 할 때 어머님이 해 주신 말이라고 했다.

힘듦을 이겨 내는 방법은
평소에 나답지 않은 행동을 하는 것이다.
좋은 쪽으로 나 같지 않은 행동 말이다.
일찍 일어나거나
좋은 글을 찾아서 읽거나
가까운 사람에게 내 이야기를 털어놓는 것도 좋다.
거창하게 변화하라는 말이 아니라
환경을 조금만 바꿔도 생각은 바뀌니까
환기할 수 있는 틈을 주라는 말이다.

고민한다면 가능성이 생기고
달라진다면 새로운 길이 보일 것이다.

그냥 웃어넘기자

그냥 웃어넘기세요.
일이 꼬이지요?
그저 웃어넘기세요.
벼랑 끝에 몰렸지요?
이 또한 웃어넘기세요.
당신이 찾는 것이
만약 분별력이라면
웃음 이상의 비결은 없지요.
그냥 웃어넘기세요.

- 헨리 리더퍼드 엘리엇Henry Rutherford Elliot, 「웃어넘기세요」

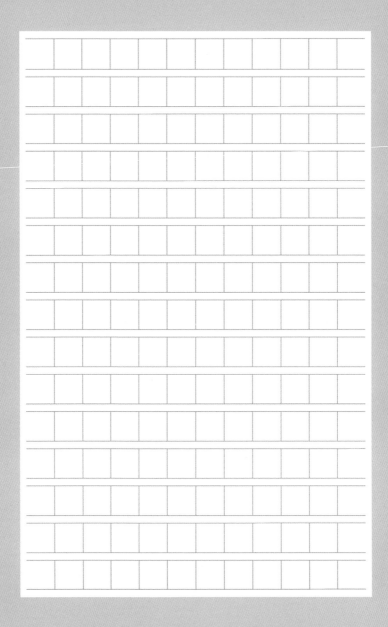

올바른 길

"내가 올바른 길을 가고 있는 건가요?"라고 물으면
난 대답합니다.
"진실을 말해 줄게요. 당신은 올바른 길을 가고 있어요.
다만 지금 적절하게 움직이지 못하고 있을 뿐입니다"라고요.

● 캐롤라인 미스Caroline Myss

모든 일이 기적

인생은
두 가지뿐입니다.

하나는
이 세상에 기적 따위는
일어나지 않는다고 여기며
살아가는 것이고,

다른 하나는
주변의 모든 일이
기적이라고 생각하며
살아가는 것입니다.

● 알버트 아인슈타인Albert Einstein, 「두 가지 인생」

당신은 잘하고 있다

걱정 많이 했고
너무 두려웠고
도망치고 싶었죠.
하지만 한번 멈춰 서서 돌아봐요.

당신은 그렇게 하지 않았어요.
당신은 꽤 잘 해내고 있었죠.

나 자신에게 잘했다고 해 주세요.
앞으로도 잘해 보자고 해 주세요.

우는 데 쓰지 말 것

웃을 때 예쁜 얼굴을
우는 데 쓰지 말 것.

당신이 한 어떤 일의 결과가
객관적으로 좋지 않아도
저는 '괜찮아'라고 말해 줄 것입니다.

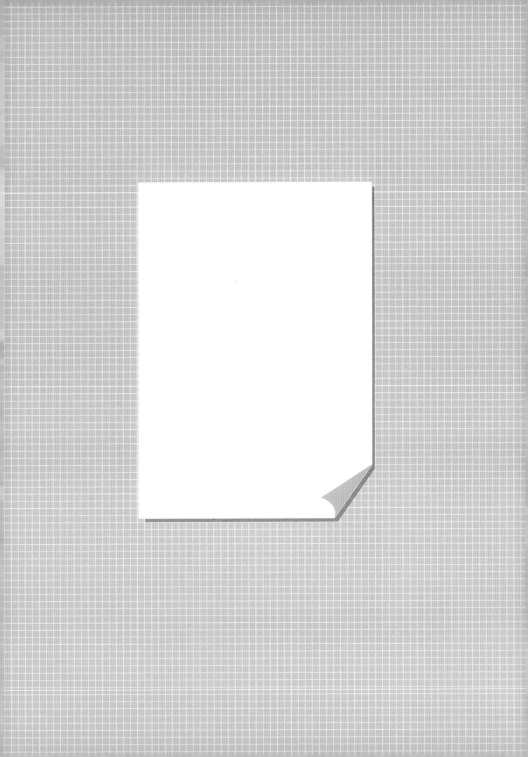

5
°°°
나를 지켜 주는
또 다른 내가 필요한 순간

잘했으면 나에게 잘했다고 해 주고,
못했으면 다음엔 잘하자고 해 주는,
한마디면 충분하다.

말하고 생각한 대로 믿는 사람

좋은 일 생길 거라고
말하세요.

분명히 잘될 거라고
생각하세요.

걱정한 일 생기지 않는다고
믿으세요.

말하고, 생각하고,
믿는 사람만이 그렇게 됩니다.

잘 웃는 사람

너 하고 싶은 거 다 하고 살아.
하루를 행복으로 가득 채우고
전처럼 많이 웃고 그러란 말이야.
너 원래 잘 웃는 사람이잖아.

살면서 할 일

우리의 인생은 딱 한 번이지만
그 안에 무한한 기회가 주어집니다.

그 기회들을 잡으세요.
다양한 경험을 하고,
좋은 사람들을 많이 만나고,
스스로 잘 살았다고 느낄 만한
아름다운 성취를 남기는 것.

살면서 할 일은 그것뿐입니다.

최선을 다했으면 잘한 거다

시들지 말라고
매일 물 주고
아무리 보살펴도
결국 꽃은 시든다.

그래도 그렇게
매일 최선을 다했으면
잘한 거다.

그걸로 된 거다.

오늘 하루 잘 버틴 당신에게

죄송하지 않은 일에
죄송하다고 말하고

가능하지 않은 일을
가능하게 하느라

오늘도 고생했어요.
정말로 잘 해냈어요.

잘 버텨 냈어요.

나를 흔드는 말에 흔들리지 않는

내 삶에 도움되지 않는 말들
나를 잘 모르는 사람이 하는 말들
잘 가고 있는 나를 흔드는 말들.

이제 그런 말들을 들어도
어느 정도 담담하게 행동하고
어떨 때는 단호하게 튕겨 낼 줄도 아는
당신이 됐으면 합니다.

오늘 나의 마음가짐
나를 흔드는 말을 들어도
담담한 태도로
단호하게 대하자.

자신을 사랑하는 일

스스로를 사랑하는 일은
이유를 만들어서라도
좋았던 시간을 떠올려서라도
어떤 방법이어도 좋으니 시작해야 합니다.

내가 나를 사랑해야
세상도 나를 사랑하고,
그때부터 모든 게 좋아집니다.

잘될 거예요

요즘 고민 많죠?
생각대로 잘 안되고
좋게 생각하려고 해도
답답한 일도 많아서

그래도 해 보는 거예요.
잘될 거예요.
당신을 믿어 봐요.

당신의 시간이 오는 중

넌 약한 사람이 아니야.

지쳐서 그래.
여유가 없어서 그래.
잘 되려고 그래.

괜찮아지고 있는 중이야.
견뎌 내고 있는 중이야.
너의 시간이 오는 중이야.
내가 알아.

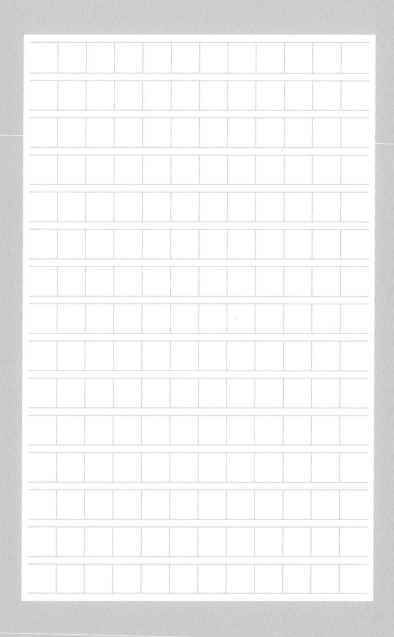

힘 빼고 천천히

'할 수 있다'라는 생각까지 안 해도 돼요.
'해봐야겠다, 하고 싶다' 정도면 됩니다.
가벼운 마음으로 시작하면 더 잘 돼요.
당신은 낭떠러지 앞에 서 있는 게 아니에요.
긴장 풀고 힘 빼고 천천히 하는 게 좋아요.
거기에 간절함까지 있다면 말할 것도 없고요.

자신에게 조금의 시간을 주는 일

기분이 안 좋아지면서
걱정은 더 커지고 더 쉽게 지쳐 버리지.
지금보다 조금이라도 좋은 생각을 할 수 있는
여유를 만들어 보기 위해서
잔잔함이 있는 곳에서 느리게 산책하는 거야.
파도처럼 일렁이는 마음을 잠재우는 건
스스로에게 조금의 시간을 주는 것뿐이다.

당신 삶의 모든 순간에
평온한 시간이 더 많아지길 바라며.

하루하루 쌓여 내가 된다

오늘이 당신에게는 수없이 지나간
평범한 날들과 같다고 생각될 수 있다.
하지만 그 하루들이 쌓이고 쌓여
과거보다 훨씬 생각이 넓어졌고
과거와 비교해 봐도 많이 성장한
지금의 우리를 만들었다고 믿는다.
지나간 날들이 모두 같았다면
나에게 깨달음을 주지 않았을 것이고
몇 년 전의 나와 지금의 나의 생각은 같았을 것이다.

나에게 맞는 방향

매일 노력을 다했다면
남들은 다 아니라고 했던 길도
옳은 길이었다고 증명할 수 있게 됩니다.
맞고 틀린 방향은 처음부터 정해져 있는 게 아닙니다.

내 방향을 믿고 나아갔던 날들이 쌓이면
그 방향은 당신께 딱 맞는 방향으로 만들어지는 겁니다.

마음속으로 응원하는 중

스스로 잘하고 있는지
모를 때는 주변을 봐라.

당신에게 조언이나 질책이 없다면
당신은 잘하고 있는 것이다.

못하고 있다면 만나는 사람마다
당신에게 한마디씩 했을 것이다.

조용하다면 다들 마음속으로
인정하고 응원하는 중이다.

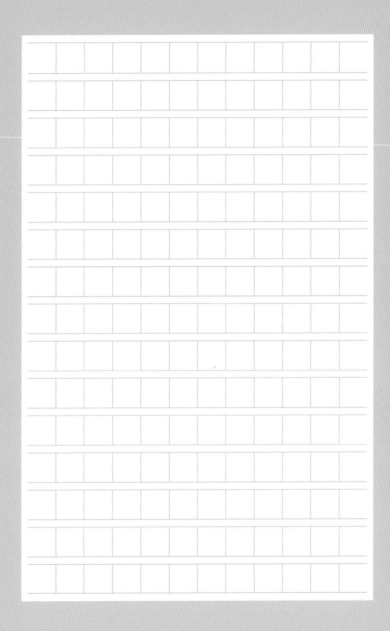

인생의 세 단어

인생에 관해 배운 모든 것은 세 단어로 요약된다.

'삶은'

'끊임없이'

'이어진다'

● 로버트 프로스트 Robert Frost

당신보다 중요한 건 없다

작은 일에 아파하지 말아요.
자책하고 울지 말아요.
소중하고 예쁜 사람,
너보다 중요한 건 없으니까요.

나 자신을 인정하는 일

남에게 인정받는 것만큼
내가 나를 인정하는 것도 중요하다.

잘했으면 나에게 잘했다고 해 주자.
못했으면 다음엔 잘하자고 해 주자.

내가 나를 인정하고
내 것에 몰두해 있으면
남이 해 주는 인정은
원하지 않아도 따라오는 것이니까.

잘했을 땐 잘했다고 인정해 주고,
못했을 땐 다음엔 잘하자고 격려해 주자.

점점 더 좋아지는 중

나는 날마다
모든 면에서
점점 더
좋아지고 있다.

● 에밀 쿠에 Emile Coue

떨어진 후에야 알 수 있다

절벽에 겨우 발붙이고 서 있던 나를
절벽 아래로 가차 없이 밀어 버리셨습니다.
그 절벽 아래로 나는
그만 떨어졌습니다.
그때야 나는 비로소
내가 날 수 있다는 사실을 알았습니다.

● 크리스토퍼 로그Christopher Logue, 「나는 날 수 있다」

오늘 당신이 한 일들을 떠올려 보라

해가 기울고 하루가 저물면 가만히 앉아
오늘 그대가 한 일들을 떠올려 보라.
누군가의 마음을 달래 줄 따뜻한 말 한마디
세심한 배려의 행동
햇살 같은 친절한 눈빛이 있었는지를
그랬다면 그대는 오늘 하루를 잘 보냈다고 생각해도 좋으리라.

* 조지 엘리엇George Eliot, 「오늘 그대가 한 일들을 떠올려 보라」

수록된 글의 출처

1. 잘하고 싶고, 잘되고 싶은 순간

- **좋은 나** '준비물', 『이 시 봐라』, 넥서스BOOKS, 2015
- **잘했고 잘하고 있다** '많이 말해주기', 『평범히 살고 싶어 열심히 살고 있다』, 넥서스 BOOKS, 2020
- **무너지지 않으면 괜찮다** '오늘의 응원', 『보이지 않는 곳에서 애쓰고 있는 너에게』, 떠오 름, 2021
- **당신을 위한 응원** '할 수 있다고', 『평범히 살고 싶어 열심히 살고 있다』, 넥서스BOOKS, 2020
- **수백 번 힘들지만 한 번 더** '살아볼래', 『평범히 살고 싶어 열심히 살고 있다』, 넥서스 BOOKS, 2020
- **뭐든 할 수 있는 사람** '앞으로', 『평범히 살고 싶어 열심히 살고 있다』, 넥서스BOOKS, 2020
- **네 옆에 있을게** '옆에 있을게', 『너의 하루를 안아줄게』, 넥서스BOOKS, 2018
- **마음가짐** '살아내기', 『평범히 살고 싶어 열심히 살고 있다』, 넥서스BOOKS, 2020
- **예쁨 받는 하루** '그런 하루', 『평범히 살고 싶어 열심히 살고 있다』, 넥서스BOOKS, 2020
- **새로운 시작** '포기하면 편해? 아니, 포기하면 변해', 『솔직히 말하자면, 괜찮지 않아』, 프 로작북스, 2018
- **그냥 당신이기 때문에** '이유가 없어요', 『평범히 살고 싶어 열심히 살고 있다』, 넥서스 BOOKS, 2020
- **나는 대단한 사람이다** '인정하기', 『평범히 살고 싶어 열심히 살고 있다』, 넥서스BOOKS, 2020
- **고민과 노력의 걸음걸음** '걸음걸음', 『당신은 반드시 잘될 겁니다』, 마인드셋(Mindset), 2022

- **무조건 해피엔딩** '주인공', 『보이지 않는 곳에서 애쓰고 있는 너에게』, 떠오름, 2021
- **지금 모습 그대로** 『보이지 않는 곳에서 애쓰고 있는 너에게』, 떠오름, 2021

2. 아무렇지 않은 척했지만, 한없이 힘들었던 순간

- **내 마음을 알아주는 사람** '필요한 사람', 『당신은 반드시 잘될 겁니다』, 마인드셋(Mindset), 2022
- **못하는 걸 해 보는 용기** '못해요', 『솔직히 말하자면, 괜찮지 않아』, 프로작북스, 2018
- **좋아하고 싫어하는 게 같다면** 『보이지 않는 곳에서 애쓰고 있는 너에게』, 떠오름, 2021
- **단단한 사람** '절반', 『솔직히 말하자면, 괜찮지 않아』, 프로작북스, 2018
- **내가 나를 아껴 준다면** '상처받아도 되는 사람은 없어요', 『평범히 살고 싶어 열심히 살고 있다』, 넥서스BOOKS, 2020
- **내 편이 돼 주는 사람** '내 편이 있어서 좋을 때', 『평범히 살고 싶어 열심히 살고 있다』, 넥서스BOOKS, 2020
- **당신의 삶이니 괜찮다** '당신 것', 『평범히 살고 싶어 열심히 살고 있다』, 넥서스BOOKS, 2020
- **내 앞에 주어진 행복에만 집중할 때** '다 놓아버리고 싶을 때', 『평범히 살고 싶어 열심히 살고 있다』
- **좋은 포기** '나를 아프게 하는 건 놓아버리세요', 『보이지 않는 곳에서 애쓰고 있는 너에게』, 떠오름, 2021
- **당신의 속도** '하루', 『보이지 않는 곳에서 애쓰고 있는 너에게』, 떠오름, 2021

3. 온 마음을 다해 행복해지고 싶은 순간

- **좋은 사람과 낭비한 시간** '별 거 있나요', 『평범히 살고 싶어 열심히 살고 있다』, 넥서스 BOOKS, 2020
- **당신을 위한 말** '매 순간', 『보이지 않는 곳에서 애쓰고 있는 너에게』, 떠오름, 2021
- **쉬운 행복** '쉽게', 『당신은 반드시 잘될 겁니다』, 마인드셋(Mindset), 2022
- **소소한 기쁨** '마카롱', 『당신은 반드시 잘될 겁니다』, 마인드셋(Mindset), 2022
- **그냥 그런 행복** '행복은 그런 거더라고', 『너의 하루를 안아줄게』, 넥서스BOOKS, 2018
- **이기적인 행복** '좋은 이기심', 『평범히 살고 싶어 열심히 살고 있다』, 넥서스BOOKS, 2020
- **온전히 나만 생각하는 시간** '걱정 없는 밤', 『너의 하루를 안아줄게』, 넥서스BOOKS, 2018년
- **마지막 퍼즐** '퍼즐', 『솔직히 말하자면, 괜찮지 않아』, 프로작북스, 2018
- **확실한 행복** '행복하냐는 질문에 대답하기 어려웠다', 『솔직히 말하자면, 괜찮지 않아』, 프로작북스, 2018
- **답장** '가자 가자', 『보이지 않는 곳에서 애쓰고 있는 너에게』, 떠오름, 2021
- **아무것도 하지 않아도 웃을 수 있는** '허들', 『보이지 않는 곳에서 애쓰고 있는 너에게』, 떠오름, 2021
- **행복할 순간** '오늘의 뜻', 『평범히 살고 싶어 열심히 살고 있다』, 넥서스BOOKS, 2020
- **어제보다 조금 더** '내가 나를 제일 잘 알고 있다는 착각', 『솔직히 말하자면, 괜찮지 않아』, 프로작북스, 2018
- **당신만의 정답** 『솔직히 말하자면, 괜찮지 않아』, 프로작북스, 2018
- **조건이 붙지 않는 행복** '조건 없이', 『보이지 않는 곳에서 애쓰고 있는 너에게』, 떠오름, 2021

236

4. 하루하루 애쓰며 살아가는 순간

- 마음이 먼저 움직인다면 '뭐 그리 힘들게 살아 가뜩이나 힘든 세상에', 『솔직히 말하자면, 괜찮지 않아』, 프로작북스, 2018
- 나를 가장 먼저 챙기는 일 '나 챙기기', 『평범히 살고 싶어 열심히 살고 있다』, 넥서스 BOOKS, 2020
- 보이지 않는 곳에서 애쓰고 있는 '보이지 않는 곳에서 애쓰고 있는 너에게', 『보이지 않는 곳에서 애쓰고 있는 너에게』, 떠오름, 2021
- 마음의 안부를 묻는 일 『평범히 살고 싶어 열심히 살고 있다』, 넥서스BOOKS, 2020
- 하고 싶은 거 다 해 '남의 시선', 『보이지 않는 곳에서 애쓰고 있는 너에게』, 떠오름, 2021
- 나에게 여유를 주는 일 '나는 충분히 지치지 않았어도 쉰다', 『솔직히 말하자면, 괜찮지 않아』, 프로작북스, 2018
- 속이지 말자 '속이지 말자', 『평범히 살고 싶어 열심히 살고 있다』, 넥서스BOOKS, 2020
- 빠지면 안 되는 것 '선택에서', 『평범히 살고 싶어 열심히 살고 있다』, 넥서스BOOKS, 2020
- 당신은 잘하고 있다 '잘 해봐요 우리', 『평범히 살고 싶어 열심히 살고 있다』, 넥서스 BOOKS, 2020
- 우는 데 쓰지 말 것 '잘했다', 『보이지 않는 곳에서 애쓰고 있는 너에게』, 떠오름, 2021

5. 나를 지켜 주는 또 다른 내가 필요한 순간

- 잘 웃는 사람 '잘했다', 『보이지 않는 곳에서 애쓰고 있는 너에게』, 떠오름, 2021
- 최선을 다했으면 잘한 거다 '그렇게 했다면', 『이 시 봐라』, 넥서스BOOKS, 2015

- **오늘 하루 잘 버틴 당신에게** '잘 해낸 하루', 『평범히 살고 싶어 열심히 살고 있다』, 넥서스BOOKS, 2020
- **나를 흔드는 말에 흔들리지 않는** '같은 한마디', 『평범히 살고 싶어 열심히 살고 있다』, 넥서스BOOKS, 2020
- **자신을 사랑하는 일** '나를 사랑하는 일', 『보이지 않는 곳에서 애쓰고 있는 너에게』, 떠오름, 2021
- **잘될 거예요** '응원해', 『평범히 살고 싶어 열심히 살고 있다』, 넥서스BOOKS, 2020
- **당신의 시간이 오는 중** '내가 알아', 『당신은 반드시 잘될 겁니다』, 마인드셋(Mindset), 2022
- **힘 빼고 천천히** '될 마음', 『당신은 반드시 잘될 겁니다』 마인드셋(Mindset), 2022
- **자신에게 조금의 시간을 주는 일** '시간 주기', 『보이지 않는 곳에서 애쓰고 있는 너에게』, 떠오름, 2021
- **하루하루 쌓여 내가 된다** '메모', 『보이지 않는 곳에서 애쓰고 있는 너에게』, 떠오름, 2021
- **나에게 맞는 방향** '방향', 『보이지 않는 곳에서 애쓰고 있는 너에게』, 떠오름, 2021
- **당신보다 중요한 건 없다** '마음 쓰지 말아요', 『평범히 살고 싶어 열심히 살고 있다』, 넥서스BOOKS, 2020
- **나 자신을 인정하는 일** '항상 목말랐다', 『평범히 살고 싶어 열심히 살고 있다』, 넥서스BOOKS, 2020

단단한 마음을 만드는 긍정의 말들

당신의 마음은
당신의 말을 닮아 간다

초판 1쇄 발행 2023년 9월 13일
초판 2쇄 발행 2024년 7월 5일
지은이 최대호
펴낸이 배민수, 이진영
기획 · 편집 밀리&셸리
마케팅 태리
펴낸곳 테라코타   **출판등록** 2023년 1월 13일 제2024-000068호
주소 서울특별시 마포구 어울마당로 130 기린빌딩 3층 3604호
메일 terracotta_book@naver.com
인스타그램 @terracotta_book

ⓒ 최대호, 2023
ISBN: 979-11-981803-5-3 (03810)

* 이 책의 전부 또는 일부 내용을 재사용하려면 반드시 사전에 저작권자와
  테라코타의 동의를 받아야 합니다.
* 인쇄·제작 및 유통상의 파본 도서는 구입하신 서점에서 바꿔드립니다.
* 책값은 뒤표지에 있습니다.